S0-AWH-196

Je suis une fille !

Pour Nadía

Première édition : © 2015 Bloomsbury, Royaume-Uni, sous le titre *I'm a Girl !*
© 2015 Yasmeen Ismail pour le texte et les illustrations.
Pour l'édition française : © 2015 éditions Milan – 300, rue Léon-Joulin, 31101 Toulouse Cedex 9, France.

Loi 49.956 du 16 juillet 1949 sur les publications destinées à la jeunesse.
Dépôt légal : 3e trimestre 2015.
ISBN : 978-2-7459-7607-9.
Imprimé en Chine.

Je suis une fille !

Adaptation française de Virginie Cantin

Yasmeen Ismail

MILAN

Parfois, je suis gentille.

Une fille à la vanille…

Mais j'aime aussi
quand ça pique et quand ça pétille !

Beurk ! Les garçons, c'est vraiment dégoûtant !

Je suis une fille !
Je suis une fille !

Je suis une fille !

Hé, regarde !
Je vais toujours à fond.
Je file comme le vent !

Je suis une fille !

Je suis une fille !

**Et je suis aussi courageuse
que n'importe qui.**

Ça va, fiston ?
Je suis une fille !

J'aime faire les choses
comme **je** veux,
quand **je** veux.
Et c'est merveilleux !

Je suis
une **fille** !

Hé !
Fais attention,
jeune homme !

Je suis une fille !

Je veux tout apprendre, tout connaître.
Mon esprit a soif de découverte.

CHUT !
Je suis
une fille !

Je suis plutôt douée en musique.
J'ai l'oreille musicale
et le rythme dans la peau.

Je suis une fille !

J'adore les jeux, tous les jeux.
Peu importe si on joue bien ou pas.
Jouer, c'est faire semblant.

Je suis une fille !
Pas du tout !

Il n’y a rien de mal à vouloir
être forte en tout.

Moi, j’aime être
la meilleure.

Regarde, maman : c'est lui qui va gagner.

Je suis une fille !

Je suis
une fille !
Je suis
une fille !
Je suis
une fille !

Je suis...

un garçon !

C'est génial d'être nous !
Je suis un garçon !
Je suis un garçon !
Je suis un garçon !

Je suis une fille !
Je suis une fille !
Je suis une fille !
Tout ce qu'on veut, c'est être nous-mêmes !

On est uniques !